あいうえお　えほん

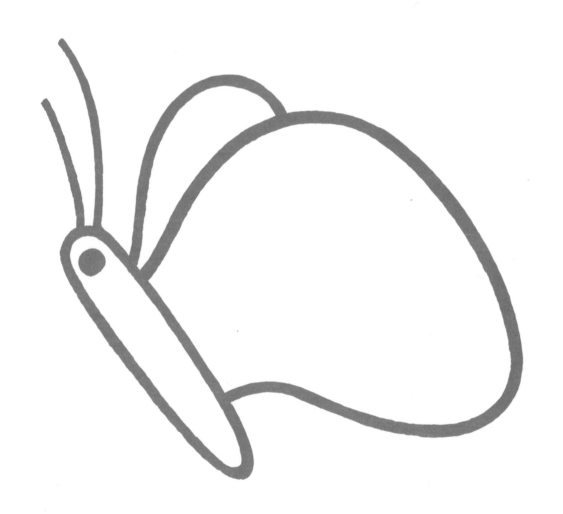

あし

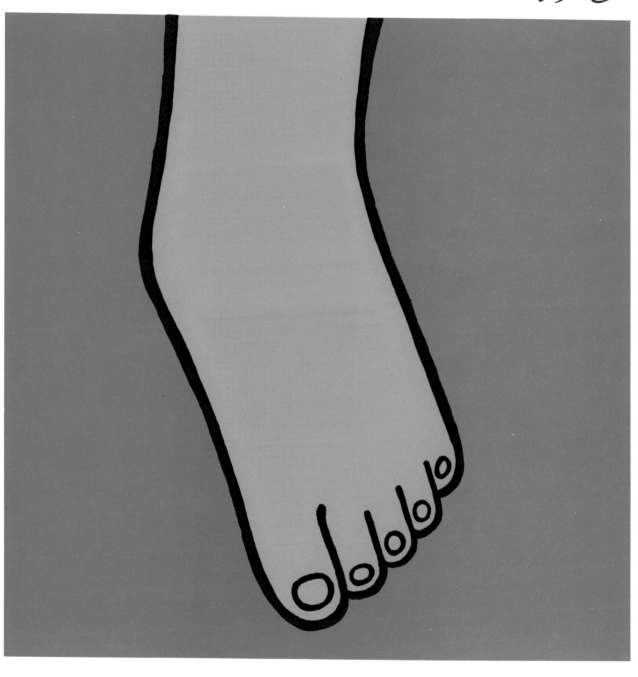

あ

ー	ナ	あ

いす

い

うし

ウ

えんぴつ

` え

おに

お

゛	お	お

かめ

か

| つ | カ | か |

ー	=	キ	キ

くし

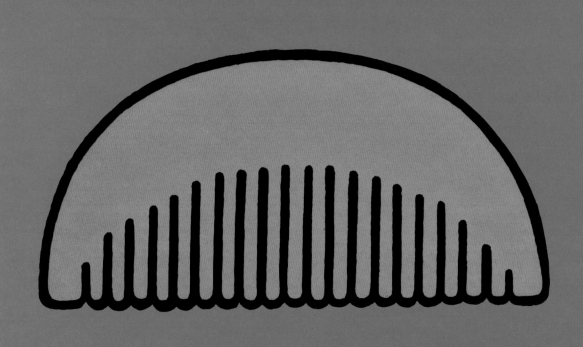

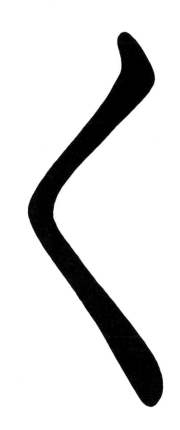

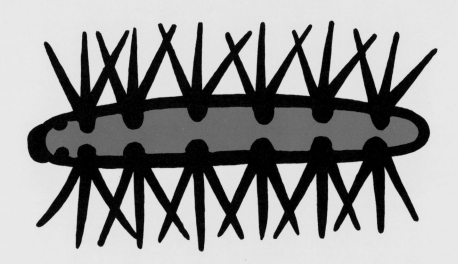

け

| l | l ー | l ナ |

こま

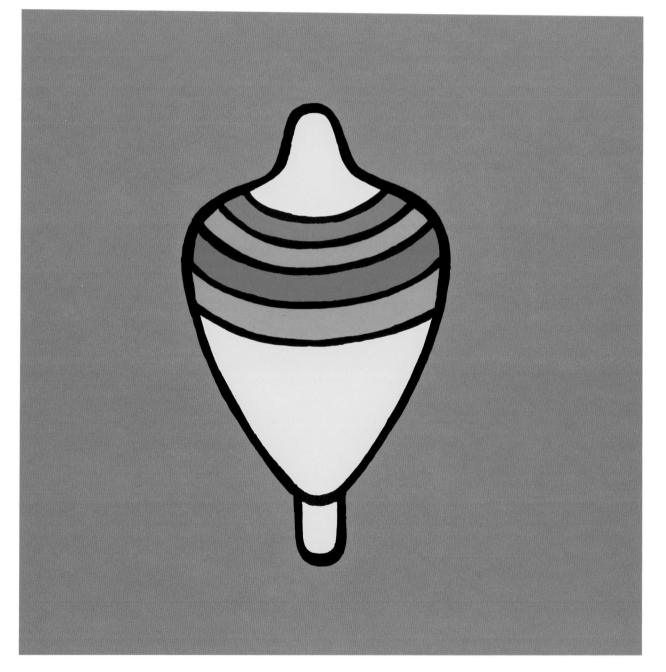

さかな

| ー | オ | さ |

しか

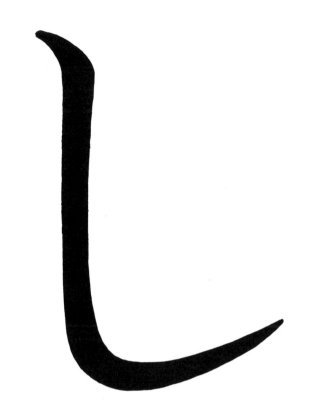

し

す

一 す

せみ

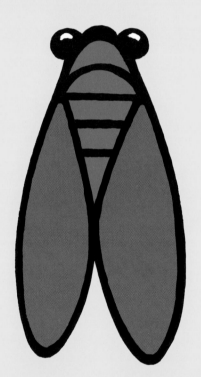

せ

一　十　せ

そら

そ

たこ

一	ナ	た	た

ちりとり

ち

ー	ち

うる

つ

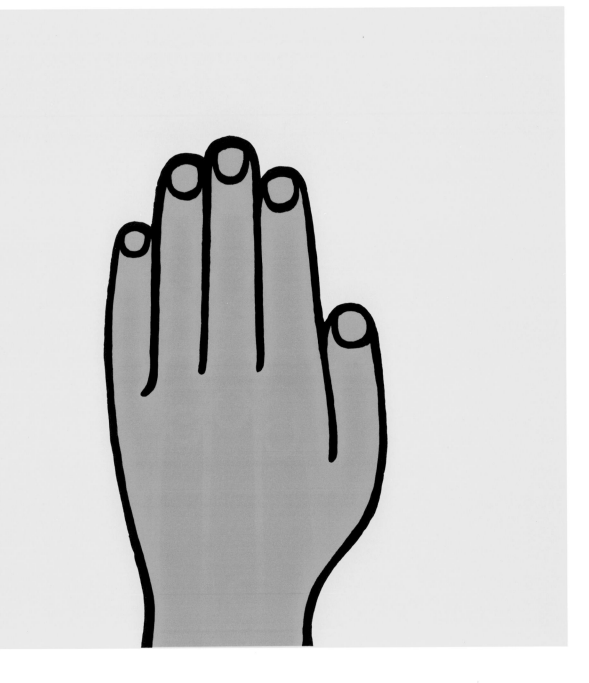

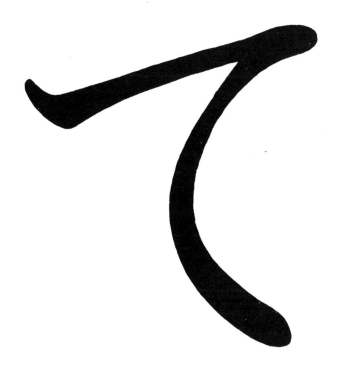

て

とんぼ

い と

なべ

| 一 | ナ | た | な |

にんじん

に

いぬ

| い | ぬ |

ねこ

ね

1	ね

のこぎりと とんかち

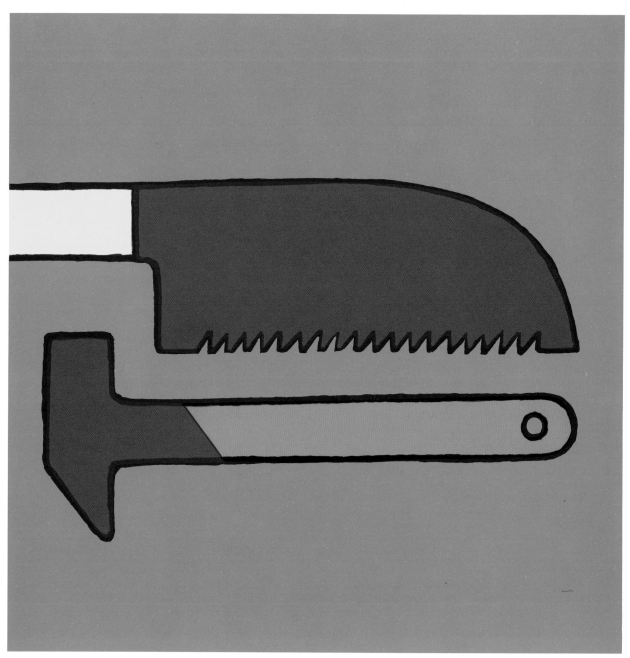

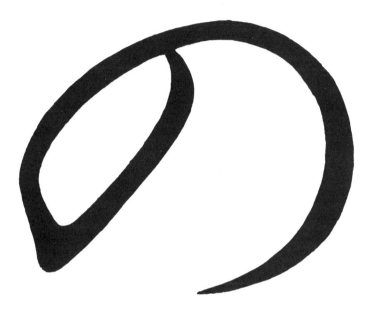

はさみ

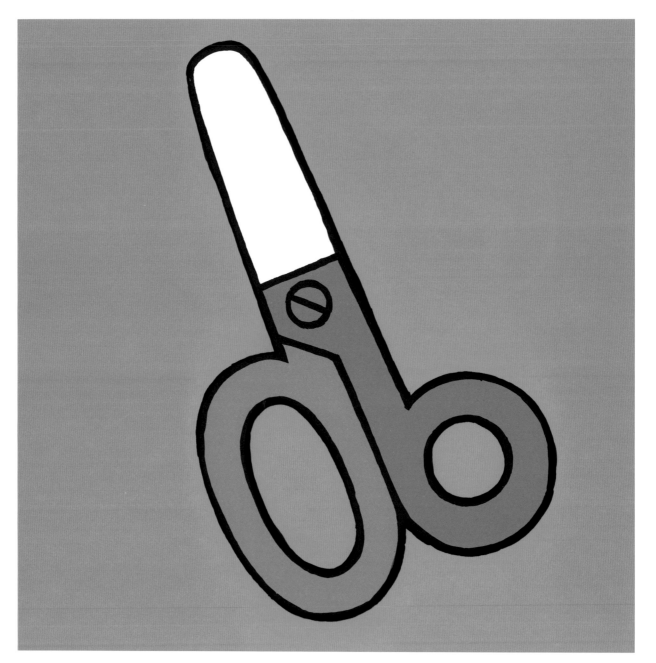

は

l	l−	は

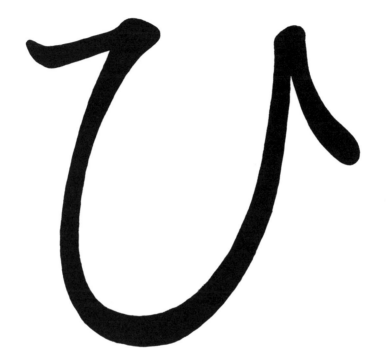

ひ

ふね

| ` | ذ | ذ | ذ |

へび

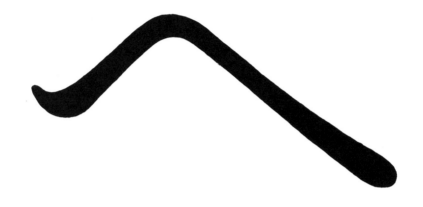

ほし

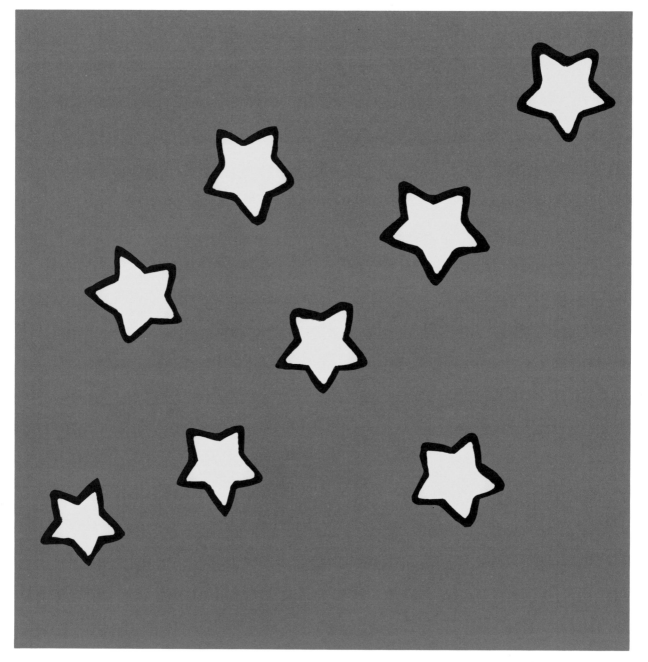

ほ

l	lー	lニ	lほ

まど

一	二	ま

みち

み

み　み

むかで

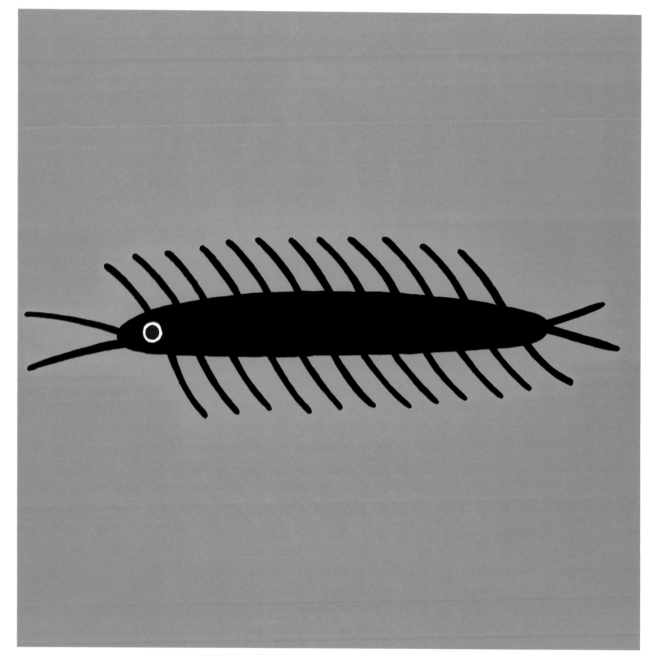

む

ー	む	む

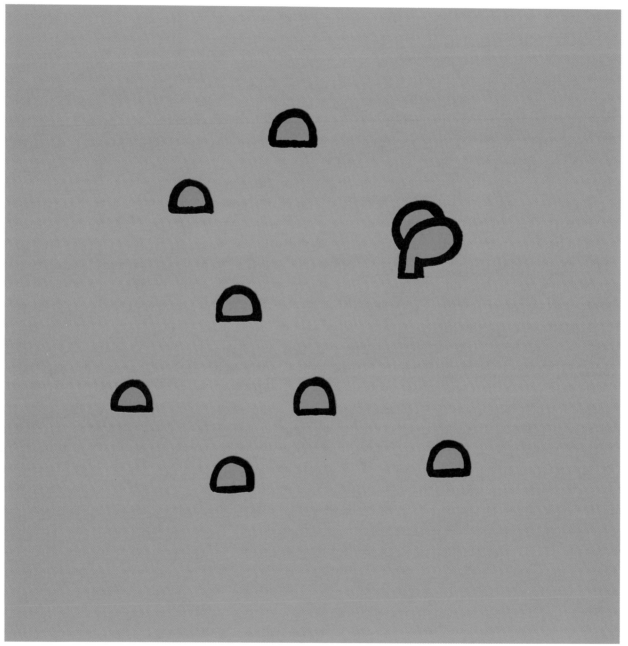

い　め

もぐら

も

し	も	も

やかん

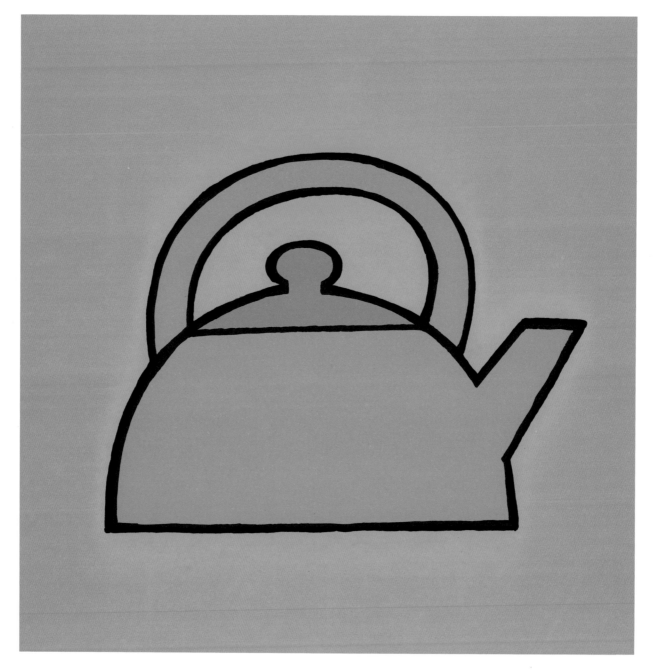

| つ | ふ | や |

ゆき

ゆ

よっと

一	よ

らくだ

`ら

りす

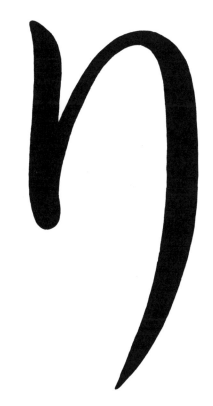

| 丨 | 丨) |

かえる

る

る

れもん

れ

| 1 | れ |

ろば

ろ

わし

わ

| 1 | わ |

ぺんぎん

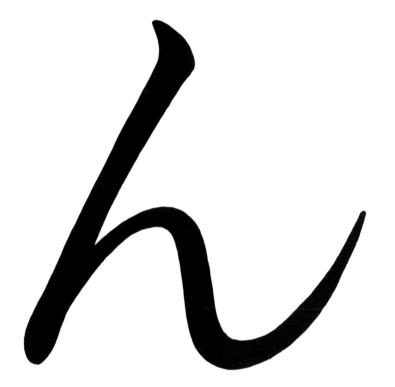

ん

ろうそくの　ひを　けして　おしまい